As doze princesas dançarinas

NUM REINO MUITO DISTANTE, VIVIA UM REI VIÚVO COM SUAS DOZE FILHAS. AS PRINCESAS ERAM LINDAS E TODOS OS PRÍNCIPES DOS REINOS VIZINHOS AS ADMIRAVAM E QUERIAM SE CASAR COM ELAS. NO ENTANTO, AS MOÇAS SÓ QUERIAM SE DIVERTIR.

ELAS ADORAVAM DANÇAR E QUERIAM FESTEJAR TODOS OS DIAS, MAS O REI SÓ PERMITIA UM BAILE REAL POR SEMANA.

CERTO DIA, A AMA DAS PRINCESAS FALOU PARA O REI QUE ESTAVA PREOCUPADA.

— VOSSA MAJESTADE, ESTOU COM UM MISTÉRIO NA MINHA CABEÇA QUE ENVOLVE AS PRINCESAS E NÃO CONSIGO DESVENDÁ-LO SEM AJUDA.

— POIS DIGA LOGO, O QUE ESTÁ ACONTECENDO COM MINHAS MENINAS? — QUESTIONOU O REI.

— TODAS AS MANHÃS QUANDO VOU ARRUMAR O QUARTO DAS PRINCESAS, ENCONTRO SEUS SAPATOS COM AS SOLAS GASTAS, MAS NA NOITE ANTERIOR ESTAVAM NOVOS. COMO ISSO PODE ACONTECER, SE ELAS ESTAVAM EM SONO PROFUNDO?

PARA DESVENDAR ESSE MISTÉRIO, O REI MANDOU CHAMAR TODOS OS PRÍNCIPES DA REGIÃO, EXPLICOU-LHES O QUE SE PASSAVA E LANÇOU UM DESAFIO.

— QUEM DESCOBRIR, TERÁ MINHA BENÇÃO PARA SE CASAR COM UMA DE MINHAS FILHAS.

OS PRÍNCIPES FICARAM MUITO ANIMADOS, CADA CANDIDATO TERIA TRÊS NOITES PARA SOLUCIONAR O ENIGMA DAS SOLAS DE SAPATOS GASTAS. MAS HAVIA UM PROBLEMA: SE NÃO CONSEGUISSE, EM VEZ DA MÃO DE UMA DAS PRINCESAS, SERIA "PREMIADO" COM A PRISÃO.

O PRIMEIRO CANDIDATO FOI INSTALADO AO LADO DO QUARTO ONDE AS DOZE PRINCESINHAS DORMIAM.

MAS, NAS TRÊS MANHÃS SEGUINTES, OS EMPREGADOS ENCONTRARAM O PRÍNCIPE EM SONO PROFUNDO E AS SOLAS DOS SAPATOS DAS DOZE PRINCESAS, GASTAS. O REI, FURIOSO, MANDOU O RAPAZ PARA A PRISÃO.

E ASSIM APARECERAM MUITOS E MUITOS PRÍNCIPES, MAS TODOS TIVERAM O MESMO DESTINO. A PRISÃO FICOU CHEIA E JÁ NÃO RESTAVAM MAIS PRETENDENTES REAIS. ENTÃO, O REI ABRIU O DESAFIO PARA QUALQUER HOMEM DO POVOADO.

CERTO DIA, UM SOLDADO QUE VOLTAVA DA GUERRA OUVIU FALAR SOBRE O DESAFIO E RESOLVEU TENTAR. CONHECIA UM ATALHO PELA FLORESTA PARA IR AO CASTELO, ENTÃO PÔS-SE A CAMINHO. NO MEIO DA MATA, ENCONTROU UMA VELHINHA CARREGANDO UM PESADO FEIXE DE LENHA E AJUDOU A POBRE MULHER, QUE FICOU MUITO AGRADECIDA.

O SOLDADO CONTOU A ELA SOBRE O DESAFIO E A VELHINHA, QUE ERA MUITO SÁBIA, ACONSELHOU:

— TODAS AS NOITES, AS PRINCESAS OFERECERÃO UM SUCO PARA VOCÊ. JOGUE TUDO FORA E DEPOIS FINJA QUE DORMIU. QUANDO ELAS FOREM SAIR, VISTA ESTA CAPA DA INVISIBILIDADE E SIGA AS MENINAS PARA DESVENDAR O MISTÉRIO.

O RAPAZ AGRADECEU POR TUDO E SEGUIU RUMO AO CASTELO.

QUANDO O SOLDADO CHEGOU AO CASTELO, OS EMPREGADOS MOSTRARAM SEU QUARTO. À NOITE, A MAIS VELHA DAS IRMÃS TROUXE SUCO. ELE JOGOU TUDO FORA E, EM SEGUIDA, DEITOU-SE EM SUA CAMA E FINGIU QUE DORMIA.

A PRINCESINHA, ACREDITANDO QUE ELE TINHA CAÍDO NO SONO, FOI ENCONTRAR AS IRMÃS QUE JÁ SE ARRUMAVAM COMO SE FOSSEM A UM BAILE. DEPOIS QUE ELAS ESTAVAM PRONTAS, O PRÍNCIPE VESTIU A CAPA, FICOU INVISÍVEL E AS SEGUIU.

A MAIS NOVA FALOU:

— ESTOU COM UMA SENSAÇÃO ESTRANHA, PARECE QUE SEREMOS DESCOBERTAS!

— NÃO SEJA TOLA — REPREENDEU A IRMÃ MAIS VELHA — O SOLDADO ESTÁ DORMINDO.

AS PRINCESAS AFASTARAM AS CAMAS, ABRIRAM UM ALÇAPÃO QUE TINHA UMA LONGA ESCADA E DESCERAM. O SOLDADO SEGUIU AS MOÇAS.

PASSARAM POR UM BOSQUE COM ÁRVORES DE FOLHAS DE PRATA. O SOLDADO FICOU MARAVILHADO COM A BELEZA DO LUGAR E PEGOU UMA DAS FOLHAS COMO PROVA. DEPOIS PASSARAM POR UM BOSQUE EM QUE AS FOLHAS DAS ÁRVORES ERAM DE OURO. O RAPAZ FICOU TÃO SURPRESO COM AQUELE BRILHO QUE TROPEÇOU NO VESTIDO DE UMA DELAS.

— AI, ALGUÉM PISOU NO MEU VESTIDO!

— PARE COM ISSO! SE CONTINUAR ASSIM, VOCÊ NÃO VIRÁ MAIS CONOSCO. — FALOU OUTRA IRMÃ.

FINALMENTE, CHEGARAM A UM RIO COM DOZE BARCOS E CADA BARCO TINHA UM PRÍNCIPE. CADA PRINCESA ENTROU EM UM DELES E O SOLDADO SEGUIU A MAIS VELHA. O PRÍNCIPE ESTRANHOU O PESO DA EMBARCAÇÃO, MAS SEGUIU PARA UM LINDO CASTELO DO OUTRO LADO DO RIO.

AS PRINCESAS DANÇARAM COM SEUS PARES E SÓ PARARAM AO RAIAR DO DIA, QUANDO AS SOLAS DE SEUS SAPATOS JÁ ESTAVAM GASTAS.

NAS NOITES SEGUINTES, AS PRINCESINHAS REPETIRAM O RITUAL. O SOLDADO PEGOU UMA FOLHA DE OURO NA SEGUNDA NOITE, TAMBÉM COMO PROVA.

PASSADOS OS TRÊS DIAS, O REI MANDOU CHAMAR O SOLDADO PARA SABER SE HAVIA DESVENDADO O MISTÉRIO.

— TODAS AS NOITES AS PRINCESINHAS DESCEM UM ALÇAPÃO DEBAIXO DE SUAS CAMAS, PASSAM POR UM BOSQUE DE PRATA E OUTRO DE OURO. TROUXE AS FOLHAS COMO PROVAS. DEPOIS, ELAS PEGAM 12 BARCOS COM 12 PRÍNCIPES E REMAM ATÉ UM CASTELO ONDE DANÇAM A NOITE INTEIRA. POR ISSO GASTAM SEUS SAPATOS.

O REI, SURPRESO, CHAMOU SUAS FILHAS PARA CONFIRMAREM SE AQUILO ERA VERDADE. DIANTE DAS PROVAS, ELAS NÃO OUSARAM MENTIR.

O SOLDADO ESCOLHEU A MAIS VELHA PARA SER SUA ESPOSA, POIS JÁ SIMPATIZAVA COM A ESPERTEZA DA MOÇA E ELA TAMBÉM O ADMIRAVA.

O CASAMENTO FOI REALIZADO COM MUITO LUXO NAQUELE MESMO DIA, E TODOS VIVERAM FELIZES PARA SEMPRE.